A Jim,
hermano y compañero
de travesuras.

Muyal

Un cuento maya

Versión de Judy Goldman
Ilustraciones de Mónica Padilla

PROGRESO
EDITORIAL ®

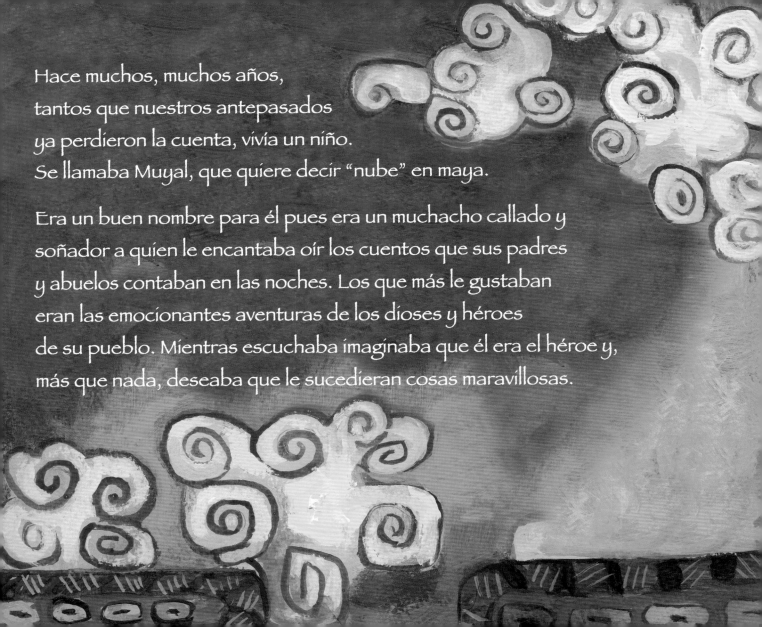

Hace muchos, muchos años,
tantos que nuestros antepasados
ya perdieron la cuenta, vivía un niño.
Se llamaba Muyal, que quiere decir "nube" en maya.

Era un buen nombre para él pues era un muchacho callado y
soñador a quien le encantaba oír los cuentos que sus padres
y abuelos contaban en las noches. Los que más le gustaban
eran las emocionantes aventuras de los dioses y héroes
de su pueblo. Mientras escuchaba imaginaba que él era el héroe y,
más que nada, deseaba que le sucedieran cosas maravillosas.

Un día, Muyal estaba acostado en la sombra de las ramas de una ceiba, soñando despierto y viendo las nubes que flotaban en el cielo. De repente un hombre apareció y le dijo:

—Muchacho, yo soy Chac, el dios de la lluvia. ¿Quieres venir conmigo y ser mi sirviente?

Muyal se levantó de un salto, seguro que la aventura que tanto deseaba había llegado. Asintió con la cabeza y estaba tan emocionado que no pensó en nada más.

Chac lo llevó a su
casa en las alturas. En cuanto ingresaron en
ella, el dios dijo:

—Tu trabajo será cocinar y mantener limpia la casa. Puedes estar en
cualquier cuarto de la casa menos en ése —y apuntó a un petate que

cubría el hueco de la
entrada–. Nunca debes
poner un pie en ese cuarto, ¿entendido?

Muyal dijo que sí pero de reojo vio el petate y se preguntó qué podría
haber detrás de él.

En poco tiempo Muyal se acostumbró a estar en su nuevo hogar. Chac era estricto y mantenía ocupado al muchacho, quien sacudía y barría, cocinaba y lavaba. Estaba tan atareado que a veces no tenía tiempo ni siquiera para asomar la nariz fuera de la casa y echar un vistazo.

Todos los días Muyal veía que Chac entraba al cuarto prohibido y cerraba el petate. Unos minutos más tarde salía usando una bella capa azul que destellaba cuando se movía. También cargaba un pequeño tambor y un morral hinchado. Chac brincaba al cielo y desaparecía entre las nubes, yendo a donde se necesitaba que lloviera. Tiempo después, Chac retornaba y regresaba capa, tambor y morral al cuarto.

Un día, en cuanto Chac se fue, el muchacho se acercó sigilosamente al petate. Pegó la oreja a él y escuchó con atención pero no oyó nada. Trató de asomarse por la paja pero estaba tan bien tejida que nada pudo ver. "¿Qué será lo que el viejo Chac guarda ahí?" se preguntó todo el día. Era lo único en que pensaba y esa noche no pudo dormir.

Al día siguiente Muyal ya no aguantó. En el momento en que Chac salió de la casa aventó la escoba, levantó una esquina del petate y se metió al cuarto prohibido. El petate, como si tuviera vida propia, se cerró detrás de él.

En cuanto sus ojos se acostumbraron a la oscuridad empezó a mirar a su alrededor. Al principio pensó que solo había en el cuarto unas viejas ollas de barro hasta que, de reojo, vio algo que brillaba e iluminaba la oscuridad.

Lo levantó y lo desdobló.

"Es una capa, igual a la que Chac se pone cuando sale de la casa" pensó Muyal. La sacudió y un pequeño rayo salió disparado.

—¡Claro! –dijo–. En este cuarto Chac guarda todo lo que necesita para su trabajo. Esto ha de ser una capa de relámpagos.

Sin pensarlo dos veces, se la colocó en los hombros y la amarró con un fuerte nudo.

Muyal se quedó quieto, perdido en un sueño, viéndose vestido como Chac, brincando de nube a nube y haciendo que cayera la lluvia.

Pensó: "Apuesto que yo podría hacerlo igual o mejor que el viejo Chac porque yo soy joven y fuerte".

Todavía soñando despierto, Muyal espió las ollas. Cada una le llegaba casi a la cintura, estaban decoradas con dibujos geométricos y cerradas con tapas. Curioso por ver qué había dentro, Muyal levantó la orilla de la tapa de una olla.

Con un furioso estruendo, la tapa explotó y un torrente de nubes grises brotó de ella. Las nubes se arremolinaron e hincharon, llenando el cuarto. Un momento después empezó a llover, y al poco tiempo con más y más fuerza.

Muyal trató de agarrar las nubes pero sus manos se cerraron alrededor de nada. Varias veces lo intentó pero seguía lloviendo y el cuarto se empezó a inundar.

Pronto, Muyal estaba empapado y hasta la capa había perdido algo de su resplandor. Desesperado, Muyal decidió ir por su escoba para tratar de barrer las nubes y meterlas a la olla.

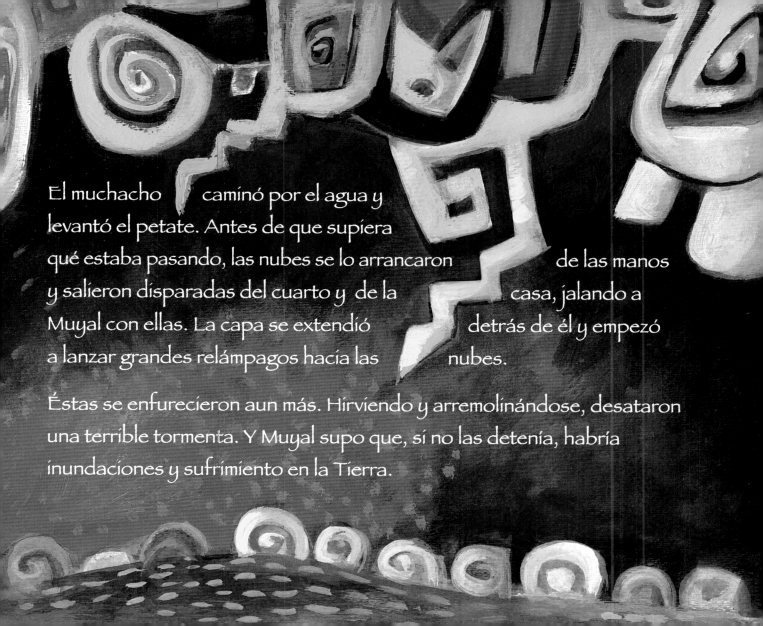

El muchacho   caminó por el agua y
levantó el petate. Antes de que supiera
qué estaba pasando, las nubes se lo arrancaron   de las manos
y salieron disparadas del cuarto y de la   casa, jalando a
Muyal con ellas. La capa se extendió   detrás de él y empezó
a lanzar grandes relámpagos hacia las   nubes.

Éstas se enfurecieron aun más. Hirviendo y arremolinándose, desataron
una terrible tormenta. Y Muyal supo que, si no las detenía, habría
inundaciones y sufrimiento en la Tierra.

—¡Deténganse! —ordenó, y trató de contener las nubes pero no tenía la fuerza para hacerlo. Como si no pesara más que un suspiro, las nubes lo lanzaron de acá para allá.

—¡Auxilio! ¡Auxilio! —gritó hasta que la chispa de un relámpago le pegó en la frente.

Se desmayó y cayó, como una piedra, al suelo.

Lejos de ahí, Chac estaba trabajando. Sacudió su capa y unos cuantos relámpagos salieron de ella y cayeron hacia la Tierra. Después abrió su morral y dejó salir unas nubes. Mientras se arremolinaban, le pegó suavemente a su tambor de truenos y sonrió cuando vio la lluvia caer sobre la milpa debajo de él.

Chac estaba cerrando el morral de nubes cuando oyó un ruido distante y, al levantar la vista, vio las nubes negras agitándose en el horizonte.

—¿Qué ha hecho ese muchacho tonto? —dijo, y voló hacia la tormenta, con su capa destellando detrás de él.

Aunque las nubes lo zarandearon, Chac por fin se metió a su casa y entró al cuarto prohibido. Cogió la olla vacía y su tapa, salió corriendo y voló al centro de la tormenta. Usando su gran fuerza, empujó las nubes adentro del recipiente y, cuando atrapó la última, le puso la tapa a la olla.

Después fue al rescate de Muyal.

Lo encontró en el suelo, inconsciente, con una gran herida en la frente y con la capa hecha jirones a su alrededor.

—Muchacho tonto –dijo Chac–. Debería dejarte dormir por siempre como castigo.

Sin embargo, Chac lo observó de nuevo, suspiró y dijo:

—Pero eres, al fin y al cabo, sólo un niño. –Y, murmurando unas palabras, lo despertó.

Muyal se sentó y se puso la mano en la frente. Entonces se acordó de lo que había sucedido. En voz baja suplicó:

—Señor de las nubes, por favor discúlpeme, no lo haré de nuevo. Déjeme quedarme con usted.

El dios negó con la cabeza y dijo:

—Lo siento pero eso es imposible.
Ven, te regresaré con tu familia.

En un rato Muyal estaba de vuelta
debajo de la ceiba donde había conocido
a Chac. Corrió hasta que llegó a su casa y
entró como una ráfaga. Su familia, triste por su
desaparición, se puso muy contenta al verlo y le dio
la bienvenida con los brazos abiertos.

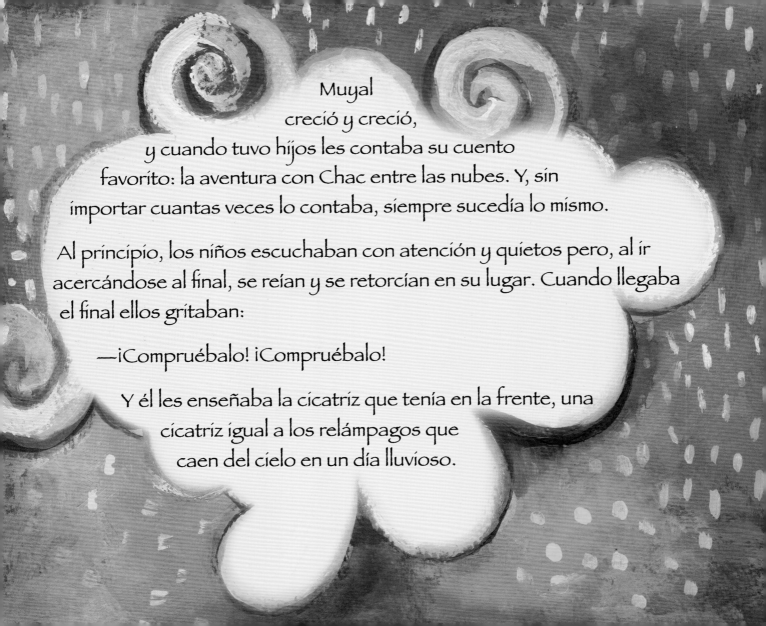

Muyal
creció y creció,
y cuando tuvo hijos les contaba su cuento
favorito: la aventura con Chac entre las nubes. Y, sin
importar cuantas veces lo contaba, siempre sucedía lo mismo.

Al principio, los niños escuchaban con atención y quietos pero, al ir
acercándose al final, se reían y se retorcían en su lugar. Cuando llegaba
el final ellos gritaban:

—¡Compruébalo! ¡Compruébalo!

Y él les enseñaba la cicatriz que tenía en la frente, una
cicatriz igual a los relámpagos que
caen del cielo en un día lluvioso.

Esta obra está protegida
por los Derechos de Autor.
No la reproduzcas sin permiso.
Acude a info@cempro.org.mx

CeMPro
Centro Mexicano de Protección y Fomento
a los Derechos de Autor

Teléfono: 1946-0620
Fax: 1946-0655
e-mail: marte.topete@editorialprogreso.com.mx
e-mail: servicioalcliente@editorialprogreso.com.mx

Se terminó la 1ª reimpresión de Muyal en febrero
de 2015 en los talleres de Editorial Progreso, S. A. de C. V.
Naranjo No. 248, Col. Santa María la Ribera
Delegación Cuauhtémoc, C. P. 06400, México, D. F.

Dirección editorial: David Morrison
Edición: Ariel Hernández Sánchez
Dirección de diseño: Rigoberto Rosales Alva
Diseño de portada e interiores: Miguel Ángel Monterrubio Moreno
Ilustración: Mónica María del Carmen Padilla Zárate

Muyal. Un cuento maya
(Colección Petate)

ISBN: 978-607-456-192-0

Miembro de la Cámara Nacional de la Industria Editorial Mexicana
Registro núm. 232

Impreso en México
Printed in Mexico

1ª edición: 2009
1ª reimpresión: 2015